西洋詐欺文明論

最後の日本人

堀江秀治

文芸社

目次

一　退化人間・大江健三郎論

私は『天才論』を書くことによって、私に課せられた天命は果たしたと思っている。よってこれは残日の独り言のようなものである。

これは大江論ではない。戦後を象徴する人物として彼の名を挙げただけである。つまり丸山眞男、朝日新聞、岩波書店、東大全共闘、民主政治家等の戦後日本人のすこぶる退化した人間の象徴だ、ということである。

大江（以下敬称略）は「米国の民主主義を愛する人たちが作った憲法なのだからあくまで擁護すべきだ」と言っている。自国と外国との区別が付かぬのである。彼は自分が何を言っているのか分からぬのである。

日本人のほとんどがこの退化状態にある。

そしてこれはひょっとしたら――ここまで退化してしまっているのかと思うと――、日本人は民主主義が最低だという認識がまったくできぬのではないか、という疑いを私に抱かせた。つまり民主主義とは多数決原理であり、一〇〇名の意見の内、五一名のものが総取りするという手法であり、四九名の意見は否定されるという極めて劣悪な政治思想である。

日本人は歴史上（歴史的古層において）、一度もそうした手法を取ったことがないのは『古事記』の時代にまで遡る。それはヘンリー・S・ストークスが言うように、西洋の白か黒かの決着ではなく、日本人が灰色のそれで収めることを評価する理由だと思う。

私はそんなことを考えるだけの知能も、日本人にはなくなっているのではないか、とふと思った。

そうした知能が大江の出版した『沖縄ノート』（岩波新書）が、振り込め詐欺と同質のものだ、ということが自覚できぬことにも現れているように思う。そしてこの同じ詐欺をやったのが朝日新聞の「従軍慰安婦報道」である。彼らは「考える」能力ゼロだから、自分がなにをやっているのかさえ理解できぬのである。

これは『沖縄ノート』裁判で大江が見せた「言い逃れ、はぐらかし、論点のすり替えなどの非常識、不誠実な答弁」（秦郁彦）なるものが、彼の「考える」能力ゼロに由来するものであることを示している。そしてこうした退化した人間が、この国で支持されているのは日本国民全体も退化している、ということである。このことは戦後日本には、武士・禅者の「無」で「考える」ことのできる者がまったく存在しないことを表している。福沢諭吉、西田幾多郎の無である。かくして日本は詐欺大国になったのである。

さらに大江の最悪さは、たとえば彼の著作『政治少年死す』を発表したところ、右翼団体から脅迫され、その結果彼はそれを自己の作品集から除外した。これは彼が歴史的古層において、福沢の言う「逃げ走る」「客分」を生き「殺人、散財は一時の禍にして、士風の維持は万世の要なり」を持っていないからである。武士は「武士に二言なし」の世界、つまり自らが一度、口にしたことは全責任を負うのに対し、客分は「蜘蛛の子を散らすが如く、戦いもせずして逃げ走る」のである。もし右翼が全作品を脅迫してきたらどうする気なのだ？

戦後日本には、こうした口先だけで偉ぶる無責任人間が盤踞している。
もっとも私には右翼団体なるものが、いかなるものであるか知らぬが、武士でないことは確かである。武士なら問答無用のバッサリである。それは福沢の「殺人」のように幕末の志士はみなバッサリであり、戦後において三島由紀夫が自らをバッサリ斬ったのもそうである。脅迫などという姑息なことを武士はしない。

このことは明治新政府が武士道を廃することによって、事実上、「逃げ走る」「客分」という空っぽ頭の（「考える」能力ゼロに退化した）「村」人（農工商）が政治を行うことになったから、大東亜戦争などと言う馬鹿な戦争を行い、戦後も同様の人々が平和な大東亜戦争をやっているに過ぎない。つまり戦後の退化した空っぽ頭は、米国に「依りすがり」（福沢）、米農工商となったから、大江は「米国の民主主義を愛する人たちが作った憲法なのだからあくまで擁護すべきだ」などと、訳の分からぬことを言う仕儀に至ったのである。これはまさに米国に強姦されて妾になった女性の発言となんら変わらない。

このことは何を意味するのか？

日本人はガラパゴス島国において、進化の思想を生きてきた。進化とは、生命が自然環境から情報を取り入れ、それを基にあたかも「考える」かのような操作を行い、それによって肉体を変異させることによって強者となり、弱者を食い殺し生き延びることを言う。つまり武士とは進化における強者であり、「村」人は弱者（退化）に当たるが、その弱者が食い殺されなかったのは、島国日本においては「村」人が武士を養っているという関係にあったからである。言い換えるなら、「村」人は「私が悪うござんした」と言って武士に頭を下げ、詫びれば生き延びられたから、彼らの歴史的古層（国民性）は空っぽ頭化（退化）してしまったのである。すなわち戦後、大江に代表される空っぽ頭の日本人は、「考える」根拠（視点）をどこにも持たなかったから、善悪、良否の判断力もなく、ただその空っぽ頭を西洋思想で満たし、――これが後に述べる西洋コンプレックスである――それを以て「考えている」と錯覚したのである。それは単に西洋の猿マネ暗記ザルであることでしかない。

それは自分で「考える」頭を持たず、それをたとえば経済学でいえばアダム・スミス、ケインズであり、哲学でいえばプラトンからハイデガーまでを紐を通すように並べ、政治学でいえば意味もなく「民民」と鳴くセミの如きものである。

これは退化であるからして、どうにもならない。この国はかつて進化した武士の下に、退化した「村」人があって初めて成り立っていたのである。それを戦後、退化した「村」人（市民など一人も存在しない）が民主主義などやるから、アメリカの妾をやり続けることになったのである。そも市民とは、古代ギリシャから伝統的（歴史的古層において）戦う人であり、労働は奴隷（「村」人）のすることである。しかも戦後の日本人は頭が空っぽだから、自らで「考える」こともできず、従って妾であることも自覚できない。

戦後、進駐軍（アメリカ）は占領政策の一環として、敗戦国日本の子供にチョコレートを配った。むろん子供たちはそれに群がったが、私はなぜか知らぬがただ傍観して見ていただけである。

決して親の躾が良かったわけではない。私の父親はこっそり隠れて、一人甘(うま)いものを貪るような人間だったから。

それはともかく、戦後の日本人はどこかの小父さんがチョコレートをくれるというと、それに飛び付く妾根性は相変わらずである。大江などまさにその典型である。ノーベル文学賞なら喜んで貰うが、文化勲章なんていらねえよ、というのは、あんたいったい何人なのと言いたくなる。

戦後の妾日本人は、その空っぽ頭を西洋文明に洗脳され、なんでも西洋の方が優れているという見方しかできなくなってしまった。これは三島が危惧したように、「『日本』がなくなってしまふのではないか」ということである。

こうした退化した文学者は大江に止まらない。戦後、志賀直哉は国語をフランス語にすべきだなどと、それがまさに自己の文学の全否定だ、ということも分からずに言った。

また高村光太郎は大東亜戦争中、忠君愛国詩を発表したことを戦後反省し、以後、農村で自耕自炊生活をおくった。これは彼が士風をもたぬ「考える」能力のない二流であることの証である。反省するくらいなら、初めからそんな詩は書かねばよいだけのことであり、またもし反省する気があるなら自裁すれば済むことである。「村」人である彼は「逃げ走る」「客分」であるから、一本筋の通った主体性――戦争とは人を殺し、殺されることだという自覚――を持たなかったのである。

これは当然、戦後の日本人とて変わらない。

戦後、西洋をマネして戦後詩が大流行し、その結果「第二芸術論」（歌句はもう古臭い）が罷り通った。が、御存知の通り詩はほぼ消失し、歌句は昔と変わらず日本人の歌心として残っている。

こうした日本人の体質をチェンバレンは、「知的訓練を従順に受けいれる習性、付和雷同を常とする集団行動癖、外国を模範として真似する国民性」（これはまさに今日の日本人である）と言い、それはまた大東亜戦争敗戦後も投降せずジャングルに潜伏し、その後、救出された横井庄一にしても、日本人を評して「ボーッと燃え上がり、ボーッと消える、信じる気がなくなった」と言っている。さらにその後、同様に救出された小野田寛郎も日本に愛想を尽かし、ブラジルに移住した。このことは戦前の日本人の方がまだ増しだった、ということである。確かに近衛や東條は愚かだったかも知れぬが、命を捨てるだけの覚悟は持っていた。脅迫に「逃げ走る」ような人間ではなかった。

戦後の日本人はなぜそこまで愚昧化（退化）したのか？　愚昧化とは、日本人であるにも拘わらず西洋文明に心酔する根拠はどこにあるのか、ということである。どこにもない。せいぜいチョコレートをくれることくらいである。

ただ根拠としては空っぽ頭で「私が悪うござんした」という歴史的古層（国民性）を生きているからである。良否・善悪の判断力がゼロなのである。

それは大東亜戦争敗戦後、連合国が東京裁判なる大茶番劇をやったことを、日本人がまったく理解できなかったことにも現れている。それは日本が「間違った戦争」をやったと、初めから筋書ありきの詐欺裁判であり、またそうした詐欺にまず丸山が引っ掛かり、次いで朝日新聞、大江と続いた。そして国民も靖国神社にはA級戦犯が祀られているから、首相が参拝するのはケシカランということになった。

このことは戦後、士風を以て「考える」能力を持つ者が払底してしまったことを意味する（例外は三島）。武士は戦争に「正しい・間違い」のないのを知っていた。そうしたことを理解する者が存在しないということは、戦後日本の西洋妾化に外ならない。

その根底にあるのは、すでに若干触れた歴史的古層の問題である。

それを日本人について述べれば、それは『古事記』以前からの日本人の意識の古層に眠っているもので、それは進化と共に福沢の言う「士風」をもつ「主人」と「逃げ走る」「客分」である「村」人とに分離していったのである（この分離の本質を占めるのは、死への恐怖である）。そして戦後、退化した空っぽ頭の「村」人しか残されぬことにより、結果、一切自分の頭で「考える」ことができなくなり、その空っぽを西洋文明で埋めることによって、――ここにコンプレックスの源がある――西洋猿マネ暗記ザルになったのである。戦後日本人の醜態は、歴史的古層が空っぽで「考える」能力がないのに、西洋猿マネ暗記ザルであることが、あたかも自分で「考えている」かのように錯覚していることである。だから武士であった三島は「それは自由でも民主主義でもない。日本だ。われわれの愛する歴史と伝統の国、日本だ」と言ったのである。

そも日本人が民主主義を「正しい」とする根拠はどこにあるのか？　どこにもない。あるのはただアメリカに強姦されて妾になったことだけである。

むろん日本にも民主的素因はある。しかし西洋のそれがヤクザ市民・民主主義であるのに対し、日本のそれは和のそれである。しかしその和の民主主義を支えていたのは武士による統治、指導（教育）の下にあったからである。なぜなら武士の出自は元々農民だからである。そして進化によって武士（禅者）だけに「考える」能力が生まれたのである。

戦後の日本人は、西洋の影響を受けて学問を文字によるものだと思ってしまった。日本人は進化の思想を生きてきたから、肉体で学問を学んできた（その認識を残念ながら戦後の日本人はまったく持たなかった）。福沢の著作（学問）は、居合道という思想の上に、西田のそれは禅という肉体の無の思想の上に成り立っていた。そのことを戦後の日本人はまったく分かっていない。つまり西洋思想は進歩のそれから生まれたものであり、日本の進化の思想は肉体の無から生じたものであり、それらは水と油ほどに違うのである（西田の挫折はそこにある）。

そうしたことも分からず、戦後の日本人は意味もなく西洋の学問を暗記している。それでは西洋の猿マネ暗記ザルと言われても仕方あるまい。


その進化の思想（無）は武士に明確に表れている。彼らは戦闘者であるから強くなることを目的としているのは言うまでもないが、同時に彼らの行う武道は、心を磨く修行という道の学問でもあった。

たとえば西郷隆盛は、武士であったから汚れ仕事もやったが、「敬天愛人」の人でもあった。武士は本来、こうした二面性を持たねばならぬのである。

ところが戦後の日本人は、心を磨く学問をいとも易々と捨てた。それは東西の歴史的古層がまったく異なる——日本人は進化、西洋人は進歩——を生きていることを認識できずに。

たとえば柔道である。柔道は古来、柔術という歴史と伝統とをもった修行の武術である。それを金メダルというチョコレート欲しさに、自らオリンピックという外国の小父さんに身売りした。柔術が日本の歴史と伝統との道の思想であるという自覚もなしに。要は金メダルは金になるという無意識の欲望のためである。昔の多くの日本人は生きる（生死の道）ということを、一生の修行だと心得ていた。

戦後も日本を武士（禅者）が統治・指導していたら、こんな情けない国にはなっていなかっただろうが、もう手遅れである。

ここで、ふと思い出したことがある。これまで私の頭は、ニヒリズム、ニーチェで一杯でまったく失念していたことである。

丸山、朝日新聞（過去の北朝鮮・ポルポト讃美）の質の悪さは今さら言うまでもない。それは大東亜戦争において前者は従軍し、後者は戦争協力報道をしていたにも拘わらず、日本が負けるや丸山は、「間違った戦争」と言い、朝日新聞はなんの証拠もなしに「従軍慰安婦報道」を行った。

これは彼らが空っぽ頭の「逃げ走る」「客分」という「村」人だから、旦那（「主人」）が変われば妾という「村」人は、「主人」の意見に同調する。「逃げ走る」「客分」はそうやって生き延びてきた。

私が思い出したというのは、大江著、岩波書店刊『沖縄ノート』という書籍が、「いじめ本」だということである。つまり彼らはなんの証拠もなく、単なる風聞によって、さも偉そうに旧日本兵を誹謗中傷したから――彼らはあたかも無自覚にではあるにしろ、権力を握れるまでに自分らが「立派な人間」になれたとでも錯覚したのか――それによって中傷された旧日本兵が訴えを起こし、『沖縄ノート』裁判が生まれたのである。

この彼らのいじめ体質については「三　国家論」で論じるが、その本質は彼らの歴史的古層にある「村」人の「村八分」に由来する。ここで大江の最低さは、右翼にいじめられれば「逃げ走り」、その右翼と同じことを自分もやっている、という自覚のないことである。その原因は「考える」能力ゼロの空っぽ頭だからである。

これは岩波書店も同じであるが、私が思い出したのは実体験からである。今（二〇二三年）から五、六年前、ある零細出版社から『空（無）の思想』という著書を出版した際のことである。当時の私は何十年と隠遁生活をしていたから、世間知はまったくなく、況してや出版界の事情など知る由もなかった。その著書で私は、大江、岩波書店、朝日新聞を「トロイ、イカレている等」の用語を使用して批判したのだと思う。それに対し出版社主はあたかも脅えるかのように（私にはそう感ぜられた）、それらの用語は「差別語」なので訂正して欲しいとして、その箇所の一覧を紙に書いて送ってきた。その内容は覚えてないが、基本的には「愚者」に書き改めてもらい、とのことだったと記憶する。さらにどういう経緯（いきさつ）があってのことだったか覚えていないが、■塗り（くろぬり）の伏字まで用いさせられることになった。私は大江が強姦と書いていたから、私も彼同様に書いたのだが、それが駄目だというのである。よって私は強■、■姦と書き改めることになった。

私はそれに特に腹を立てることはなかった。なぜならそれで意味の変わることはなかったし、また私が腹を立てるときは、殺す時だと肝に銘じていたからである（ただし一度だけ、詰まらぬことでキレたことはあるが)。それに私の頭は別のこと(ニヒリズム等)で一杯だったこともある。ただ「戦後も言論統制があるんだ」と思い、それを行っているのが岩波書店だと分かったのは、その著の私のあとがきに、密かに社主が「岩波書店」の表記の横に二本の棒線を書き入れていたことによってだった(それは零細出版社の悲哀であると同時に、その社の現状がその私の著書を誤字、脱字だらけの本にした)。

いったい誰が、どういう根拠の下に差別語なるものを発明したのか？私にとってトロイも愚者もほぼ同義語である。ただトロイは私にとって日常的軽い表現であるのに対し、愚者にはそれがない。堅い非日常的言語である。

正直、問題の本質は、彼らの歴史的古層には福沢の言う「主人」の自覚がなく、「逃げ走る」「客分」の空っぽ頭であるにも拘わらず、彼らは猿マネ暗記ザルとして優秀だったから、あたかもそれを「考える」能力においても優秀な「主人」だと、勘違いしたのだろうと思う。つまり暗記ザルとしては優秀だが、「考える」能力はゼロだということの自覚がないのである。そこに彼らの無根拠ないじめ体質の本質がある。

それは『沖縄ノート』裁判における大江の「非常識、不誠実な答弁」「品格や知的水準」の低さは、そのまま戦後日本人の道徳的低下として反映している。振り込め詐欺、いじめ等として。

彼らには言語が深さ（その歴史的古層には歴史、伝統、文化がある）を持つものだと言うことが理解できない。これは思想についても同断である。

そういうことが分からぬから、たとえば看護婦を、同じ職に就く男性もいるから看護師にしなければならぬ、と言うことになる。私に言わせれば看護夫にすればよいだけのことである。また女中さんをお手伝いさんにしなければならぬ根拠はどこにあるのか？

要するに彼らは、空っぽ頭の猿マネ暗記ザルだから「考える」視点がどこにもなく、ただ「主人」面をしたかっただけのことである。従ってそんな頭だから、容易に詐欺に引っ掛かり、それをネタに今度は自らが振り込め詐欺に走り、また自分でいじめを行っていながら、いじめられると大江のように「逃げ走る」「客分」になるのである。だから彼らは「品格や知的水準」を疑われるのであるが、ただ戦後の日本には「逃げ走る」「客分」しかいないから、馬脚を露さずに済んでいるだけのことである。

これで私は退化人間についてすべてを述べた。分かる人には分かろうが、今少し説明が必要かもしれない。

戦後の「村」人は、空っぽ頭の「私が悪うござんした」弱者人間しかいないということは、無意識にしろその歴史的古層において、なんの根拠もなしに自らを劣等だと差別していることに外ならない。つまり「悪うござんした」とは「間違っていました」ということであり、そこには間違っていた根拠がなければならぬのだが、そんなものはどこにもない。ただ死が恐ろしいだけの「考える」能力のない空っぽ頭だということだけである。ところが戦後、死の恐怖の消えた日本人はその歴史的古層において、劣等（弱者）だという差別的地位に置かれていたことに、無意識にも耐えがたいものを覚えたから、その空っぽ頭を——自ら思想を生み出せる能力もないから——「外国からの思想」で埋めることによって、自らを優れた人間としてそれを自己満足させたのである。それはある意味「村」人弱者の自己偽善といっても良いものである。

つまりそれによって自己の猿マネ暗記ザル化を正当化したのである。

しかし彼らの空っぽ頭は、その外国からの思想を、正しいか間違っているかの判断根拠をまったく持たない。が、それで頭を埋めることは、あたかも「考える」ことができるかのような錯覚に陥らせることができた。しかも劣等だという差別的地位から抜け出し、優等になれたとさえ思えた。それがトロイの東大に代表されるゾンビ養成所である。

しかしそれは事実上の洗脳であり、空っぽ頭が詐欺に引っ掛かっているのとなんら変わらない。が、それによって自分は「正しい」と、またさらに「俺って立派だろう」とまで自己偽善によって錯覚できたから、その結果として、その空っぽ頭の発言が、ほぼ無根拠ないじめに等しくなるのは当然だろう。なぜなら劣等差別意識から抜け出すために、そうしたカラクリを用いたのであれば、彼らの発言がその歴史的古層にあるそのカラクリによる優等差別的いじめに走るのは自然なことである。そしてその彼らがもともと劣等差別的地位にあったことは、自己が無意識にも優位に立とうと、無意味な差別語を発明させることになったのであり、それが戦後日本に差別・いじめゾンビが跳梁することになった原因である。

斯くしてそうした差別・いじめゾンビは、従軍慰安婦報道、『沖縄ノート』を、ただ「俺って立派だろう」と言いたいだけの理由で、現地の調査、取材もせずに発表したのである。

それらを自虐史観と言うのは、そも彼らは「逃げ走る」「客分」であって、国家意識も責任意識もゼロであり、ただ自らの歴史的古層に横たわる劣等差別感が、実に短絡的に自国いじめに走らせ、またそのいじめ発言の「正しさ」を正当化したいばかりに、仮にもそれが批判されればその空っぽ頭から支離滅裂な言い逃れ、はぐらかし等の言説が出てくるのである。それでも彼らが救われているのは、国民全体が空っぽ頭だからである。

ここに一冊の書物がある。田中英道著『日本人にリベラリズムは必要ない』副題『「リベラル」という破壊思想』である。そこから気になった箇所を引用させてもらう。

まずそれはそも「日本人にリベラリズムは必要ない」の問題ではなく、日本人には無関係だということである。

戦後の日本人は、空っぽ頭の猿マネ暗記ザルだから、言語、思想にはその深さ（歴史的古層のもつ歴史、伝統、文化）があるということが分からない。つまり日本人は肉体という進化の思想を生きてきたから、自らの中にある歴史的古層からしか発言できない。しかも、その歴史的古層に「無」をもたぬ戦後の日本人は、「私が悪うございました」の空っぽ頭だから、暗記した「リベラル」は意味のない、お飾り思想でしかない。それはマルクス主義、実在主義、フェミニズム等が、かつて飾り簪（かんざし）のようなものであったのと同様に、髪に挿さっているだけのものであり、ただ本人がそれで立派になれたと錯覚しているだけで、一ミリも頭の中には入っていない。これは民主主義についても同断である。どうしてそう錯覚できるのかと言えば、頭が空っぽだからである。もしもともと頭の中に何か入っていれば、外部から入ってくる言語、思想等に違和感、抵抗感等を覚えるはずだが、彼らの頭の中にはなにも入っていないから、そういう感覚が生じない（それは幕末の志士の頭には尊王攘夷思想が入っていたから、そこに抵抗意識が起こったことを考えれば分かることである)。だから大江、岩波書店、朝日新聞は、まったく自覚もなく振り込め詐欺・いじめゴッコに現を抜かせたのである。それ故、横井が言ったように「ボーッと燃え上がり、ボーッと消える」ことになるのである。

さらに田中の著書から引用する。

「日本には〝主体性〟が根付かない」(丸山眞男の言葉)

丸山は、「日本には主体性が根付かない」ということを言いました。丸山はよく戦前の軍部を引き合いに出します。

「ヒトラーやゲッベルスをはじめ、ナチスの人間はしっかりとナチズムを、あるいは民族主義、アーリア人の優越性をはっきりと説明し、自己の責任を取った」と丸山は論じます。「言論をしっかりと述べて、それが主体性となって、ファシズムを作った」ということです。

そして、丸山は「ところが日本では、東條英機（一八八四～一九四八年）を長とする軍部は、そのような基本的な自分の主張をしない」と言いました。自分で責任をとろうとする言論がないと日本社会を、丸山は盛んに批判します。「主張をしない」ということから始まり、「なぜ日本には思想がないのか」という問題を丸山は論じます。……

戦後とはまさにこうした丸山のような「腐れインテリ」によって始められたのである。そしてそれに追従したのが大江、岩波書店、朝日新聞等である。つまり丸山はなぜ大東亜戦争中、「間違った戦争」に対し、なんの主体的「主張をしない」でいたのか、ということである。彼は「逃げ走る」「客分」という「主体性」のない死が怖いだけの人間であって、ただ勝ち馬に乗る「村」人だったからである。主体性のなさでは、東條等の軍部と同類だったのである。つまり彼には福沢の言う「殺人、散財は一時の禍であり、士風の維持は万世の要なり」が東條以上になかったのである。別言すれば、西洋ヤクザ市民であるような、ヤクザ性が彼にはなかったのである。

彼には西洋がヤクザ国家によって成り立ち――それはアメリカの銃社会がヤクザ社会であることを考えれば分かることで――そのヤクザの出入り（戦争）ができたのは、日本においては主体性をもった武士だけだったのである。

つまり日本「村」人は、その歴史的古層において「逃げ走る」「客分」という主体性なしの平和を享受できたから、日本に西洋のようなヤクザ思想は生まれようがなかったのである。そうであれば、戦(いくさ)をする武士は武士道思想を持てば足りたのであり、「村」人の歴史的古層は主体性のない空っぽ頭でもよく、従って自由（たとえばリベラリズム）などは無縁だったのである。それはいまだ平和憲法などと、ヤクザとは無縁なことを言っていることからも明らかだろう。

ただ戦後の学生を含むインテリは、なにも「考え」られぬ空っぽ頭であったが故に西洋コンプレックスに陥り、民主主義、マルクス主義、実存主義、フェミニズム、そしてリベラリズム等に「ボーッと燃え上がった」だけなのである。つまり西洋思想をいくら暗記しても意味のないことを、空っぽ頭の猿マネ暗記ザルは理解しないのである。彼らは西洋思想の根底には、キリスト教という戦争宗教のあることを理解できるような頭を、そも持ち合わせていなかったのである。

さらに田中の著書の「『思想は言葉である』という誤解」の項で「丸山にとって、『思想は外国からくるもの』なのです」とは、まさに彼の頭が空っぽであるからして自国に思想のあることが分からなかったから、「思想は外国からくるもの」になるのである。彼にはそういう自分が馬鹿だという自覚ができなかった。日本においては真の馬鹿になれて、初めて「無の思想」に達し、そこで「考える」ことができるのだ、ということが分からなかった。

さらに彼には「思想とは何か？」という認識がまるでできず、あたかも善（よ）きものであるかのような先入見に捉われていた。それはナチスのヤクザ性さえ評価してしまう始末なのだから。それは田中が「丸山は、言語化されたものだけを思想だととらえています」と言っていることにも表れている。彼には思想とは言語によるものだけではない、ということが分からなかったのである。

日本は自然豊かではあったが、ガラパゴス的島国であったから、侵略することもできず、従ってそこに住む人々は進化の思想を自給自足的に生きていかねばならなかった。そこにおいて人を含めた自然を殺すような言語、思想は生まれようがなかった。それによって、言わば人々の歴史的古層（言語、思想）には自制心ともいえるものが宿ることになった。つまり戦をする武士にしても、まず敵を殺す思想ではなく、最初に自分を殺す無の方向に走った。「武士道といふは死ぬ事と見付けたり」（『葉隠』）とはそれで、三島事件などはその延長線上にある。

また「村」人にしても、仏教による西方浄土の思想によって、この世を常ならぬものとして、ある種諦めを伴った、我欲を捨てた無常観として定着することになった。こうした言語、思想を生きた過去の日本人であるからして、そこに医学のようなものはまったく発達しなかった。

ところが戦後、これらのものが消えてしまった。特に後者の「村」人はその空っぽ頭を、丸山の大ホラや西洋思想の流入によって欲に占拠され、すでに述べた大江、岩波書店、朝日新聞等は、あたかも自分らが立派な人間にでもなったかのような錯覚に陥り、流言蜚語の類を流すことになった。

ただし、空っぽ頭の戦後日本人がすべて彼らのようにあったわけではなく、この和の国においては、自制心はある程度歴史的古層に残されていた。それは例えば拾った財布を交番に届けるなどである。

西洋の言語、思想はヒュースケンが言うが如く「重大な悪徳」であることが、丸山にはまったく分からなかった。

西洋キリスト教文明は、砂漠に生まれた0（ゼロ）の歴史的古層に持っているから、それは日本文明とは対照的に、その根底（歴史的古層）に有の数字化した欲望があり、それを神の保証によって言語の下に進歩させることによって戦争、略奪、破壊（たとえば自然科学）は善とされた。その「言語化された思想」の意味が、丸山にはまったく分からなかった。

それはデカルトの哲学が、神の保証によって人を含めた自然を、「延長する物質（モノ）」として進歩のため殺しても良い、ということに表れている。それについては詳述せぬが、ナチスのホロコーストも、アメリカの黒人奴隷、原爆投下も、また自然破壊に繋がる自然科学も、同じ土壌から生まれたものなのである。

そうしたことも分からずに、空っぽ頭は西洋思想を猿マネ暗記し、流言蜚語を飛ばすその幼稚さは、田中の著書に、

平成23年（２０１１）に、週刊朝日の増刊として、『朝日ジャーナル　知の逆襲第２弾「日本破壊計画」』という雑誌形態の書籍（ムック）が出版されました。

と示され、そこに執筆した四十九名の幼稚園児の名が記されている。この国はもう完全に潰れている。

それはある意味、別の面でも潰れるのは時間の問題だ、と言うことでもある。それ

は経済である。

例えばこの国には一〇〇〇兆円を超す借金があるにも拘わらず、国にはそれ以上の資産があるから大丈夫だ、というなんの根拠もない言説が罷り通っていることである。つまりそれ以上の資産があるのなら、さっさと返せばよいことである。が、現実には返せない。

それはあたかも土地・家屋が抵当に入れられ、現実に借金を返すとなると、それらを手放し住む所を失うような資産だ、ということである。これは言うまでもなく日銀を譬えていっているのだが。

借金には利子がつく。いくら低利とはいえ一〇〇〇兆円の利子となれば、膨大である。

こんなことを平気でやれるのは、まさに頭が空っぽで無責任だからできるのである。それは戦後の民主政治が、その歴史的古層において、「逃げ走る」「客分」という幼稚園児によって行われているから、そも国家というものが軍事力と経済力との両輪によって成り立っているのだ、ということが自覚できない。彼らの頭には「殺人、散財は一時の禍」とする覚悟がなく、ただペットのように「甘い生活」がしたいだけなのである。

戦後の自由民主党はそれに付け込み、また彼ら政治家も所詮、幼稚園児だから政権を維持したいばかりに「村」人に甘い生活をさせることで、それを実現してきたのである。彼ら政治家、そして「村」人の無能振りを私が目のあたりにしたのは、時の政権が全国町村に一億円の金塊をばらまいた時だった。こんな政策を採るとは、民主政治家として万死に値する（馬鹿でもできる）と諫言をした者は、寡聞にして知らない。それは戦後のアメリカのチョコレートばらまき占領政策となんら変わらない。要は、民主主義も政治も、まったく分かっておらぬのである。このまま国民に甘い生活をさせるために、借金政治をしていたら、いつかは利子さえ払えぬ破産に陥ることが分からぬのである。そして致命的なことは、この国には誰も日本人として自分の頭で考えられる者が存在せず、猿マネ暗記ザルしかおらぬことである。いずれにせよ日銀のこの嘘（フィクション）はバレル。では、なぜそうした嘘が成り立つのかと言えば、ヒトは「主体は虚構（嘘）である」（ニーチェ）の世界を生きているからである。

二　神道論

これは前著『天才論』から導き出された論説である。

実はそこには、私自身の意識とはまったく無縁の肉体によって書かれた小説『馬（ば）一（いち）』という一編が含まれている。それが活字化されてもしばらくは分からなかったのだが、ある時、二つの活字に私の意識が気づき一瞬、ぎょっとした。それはその小説の現場ともなる「大木材木店」の「大木」の二文字が、実は私が半世紀前に別れた妻の姓だったからである。肉体とは時に悪い悪戯（いたずら）をするものである。しかしそこから私自身、長い間分からずにいた「私」の謎が氷解した。

たとえば高校、大学と私の学業成績が極めて悪かったことである。それも確信犯的悪さであって、特に私自身頭が悪いとは思っていなかった。つまり私は、なんで意味の分からぬことを暗記せねばならぬのか、という疑念の下での成績の悪さだったのである。

そしてその後、私は長い暗闘――正直、私は何度、なぜ自分の人生は失敗だったのか、と思い悩んだものである――から、ようやくそれが、戦後の日本人が空っぽ頭の猿マネ暗記ザルだという結論に行き着くことになった。

さらに私は二十歳の時、まったく訳も分からず二つの誓いをした。一つ自殺をしないこと、二つ子孫を残さぬことと。

そこには「私は十四歳で死んでいたら幸福だった」という思いがあったことと無関係ではなく、その思いは私が田舎暮らしをし自然児であったからだ、ということに係わっていることも何となく分かっていた。そしてそれが、私が少年時に無を知り、カミを見たことが私の一生を狂わせることになったのだ、という結論に至ったのは極めて近年のことだった。

だが今、私はそれが日本人としての正道を歩んだ結果だと思っている。つまりそれは私が日本人としての歴史的古層（神道＝無）を持ち、それを以て西洋キリスト教文明と真正面からぶつかり合ったことによるのだと。それは同様に、夏目漱石が西洋文明との暗闘の内に、膨大な苦悩――例えば彼の『文学論』――を通して、「則天去私」

の境地に達したことは、よく知られている。

ところで私は、日本人がその歴史的古層に、仮に言えば仏教の無ではなく、それが神道の無であり、仏教の空観（「色即是空」）とはやや異なるものであることに気づいた。つまり「則天去私」にしろ西郷の「敬天愛人」にしろ、そこに「天」が付いていることである。

この「天」とは、「お天道さまが見ている」の「天」であって、それは『古事記』（神道）における「天照大御神」である。そうした「お天道さま」という自制心をもった価値観が私の歴史的古層にあったが故に、私は少年時にも拘わらず、アメリカ兵の差し出すチョコレートを無視できたのである。

この日本人の歴史的古層に宿る神道観は、その少数においては仏教の無とあたかも同一方向に走るが、他方においては文字通りの肉体の無のない「空っぽ頭」となり、その頭はチョコレートに群がることになる。戦後の日本人はほぼ後者であり、それはまさにゾンビ化した日本人である。

このことに関して、私は道元が入宋するや否や、すぐにも如浄より法を嗣いで、その後、帰国し越前に永平寺なる曹洞宗の専修道場を開くまでに、まったくと言っていいほど蹉跌の跡の見られぬことを、不思議に思っていた。

その答はまさに彼の歌「春は花夏ほととぎす秋は月冬雪さえてすずしかりけり」にあった。この歌の世界は、まさに神道における無であり、また彼がそも歌を詠むことそれ自体、神道下にある万葉以前からの歴史的古層を生きていたことに外ならない。彼は仏教徒・道元である以前に、その自然宗教・神道においての無を悟っていたのである。

日本人にとって歌を詠むとは、神道的・歴史的古層である、と言ってもよい。

私は長い間、自分が歌の詠めぬことにコンプレックスを持っていた（今では未発表の歌集『厳冬』を持っているが、これは事実上の辞世である）。が、その理由が今では、自分が神道の道から外れてしまっていたが故にと理解している。

歌に関して私が最も大きな影響を——と言っても歌道上ではなく、歴史的古層という意味で——受けたのは、河野裕子という歌人の一首であった。それは「たっぷりと真水を抱きてしづもれる昏き器を近江と言へり」であり、正直その当時の私の気持は、こんな一首を詠めたら「死んでも本望だ」とさえ思った。

その後三度ばかりＮＨＫテレビを通して河野に係わったが――それもたまたまテレビを見ていたらであって――一度目の彼女の死に係わるものが、もっとも衝撃が大きかった。

それは当たり前と言えば当たり前だが、彼女も普通の女（ひと）なのだ、という思いであった。しかし神道の無にあった私には、その当たり前のことが理解できなかった。その一つは、彼女が女性だった（女体独特の感性を持っていた）という事実であり、二つには、その歌がその内部に神道以来の万葉的、歴史的古層を秘めていることであった。

私はカミを見たと言ったが、それは中学一、二年のとき同じクラスの少女に抱いた感情である。しかしその感情を「カミを見た」と言語化することができたのは晩年のことである。

私はその少女に、ある意味畏れ多いもの、身分違いを超えた天上人に近い存在を感じたのである。だから私は二年間、同じクラスにいて一度も口を利いたことはなかった、利けなかったのである。一度だけ声を掛けられた記憶を今も覚えている。

その後、私は東京に引っ越すことになるのだが、当然、未練のようなものはなかった。なぜなら住む世界が違っていたのだから。

その少女をカミと認めたのは、以前どこかで書いたが、ある宮司の著した書物に、昔の日本人は少女にカミを見たと記されていたことによる。その証として、京都で行われる大文字焼の三つの文字の内の「妙」は「少」と「女」と、つまり少女によって成り立っていることが記されていた。

これによってあの少女がカミであったことを知るのだが、と同時にそれまで私にはまったく分からなかった古代日本にあった斎宮という存在が明らかになった。

斎宮とは、天皇の名代として伊勢神宮に赴く未婚の内親王または女王である。その名残は、今日、神社に存在する神子（みこ）が明らかにしている。神子とは、「神に仕えて神楽（かぐら）・祈禱を行い、または神意をうかがって神託を告げる者。未婚の少女が多い」（『広辞苑』傍点堀江）である。

先の宮司が慨嘆するように、「近頃、少女が少ないですね」と言ったのは、カミに仕える神子は、心身ともに清明でなければならぬのに、それが「未婚の少女が多い」になってしまったからである。

つまりカミ（少女＝処女）を侵すということは、畏れ多いことであるという神道の価値観がほとんど消えてしまったことである。戦前にはまだその価値観が残っていたから、女性の処女性が重んぜられていたが故に、その価値観を守るために遊郭というものが存在したのである。

それを戦後のゾンビ化した日本人は、西洋を猿マネし、それを廃止することによって、結果、少女は援助交際に走り、性暴力被害に遭う羽目になり、また夫は育てていた子供が自分の子でない、というようなことが起こることになった。

そんな訳であるから、私にとって女性は本来、カミの領域に属するものであって、性行為の対象にはならなかった。だから私には痴漢、盗撮をする男の心理がまったく分からなかった。

ただ、ほんの一時期、恋愛感情を持ち、それが性欲に走ることを理解しただけである。

つまり私が子孫を残さぬと誓ったのは、私には女性に子供を産ませ、家庭を持つという世界観がまったくなかったのである。


ところで盗撮に係わる問題で、これまで二度ばかり論じてきたが結論が出なかったことについて述べる。

それは日本の少女が、海水浴場等で、ビキニの水着を着け、その姿を男に盗撮されて訴え、その男の行為が迷惑防止条例になることに関してである。私は「ビキニ姿が恥ずかしいなら、そんな格好をするのは止めろ」とまでは書いたが、その本質に行き当たっていなかった。つまりどうして彼女らが恥ずかしがるのかと言えば、彼女らの歴史的古層にある「お天道さまが見ている」観が恥ずかしがらせるのであり、男はその「恥じ」を盗撮したがるのである。それはビキニ姿の女性の写真集など、書店に行けばいくらでも売っているが、そこに恥じは映っていないから、男たちは興奮せぬのである。興奮するとは、聖なるものを「侵す」という破壊感情の高まりであり、これは性暴力の本質にあるものである。

ちなみに西洋人女性がビキニ姿に恥ずかしさを覚えぬのは、言うまでもなく「お天道さま」の歴史的古層を持たぬからである。これは東西文明の歴史的古層に横たわる歴史、伝統、文化との――多神教と一神教との――違いであることが、西洋猿マネ暗記ザルにはまったく分からない。

例えばある日本人男性オペラ歌手は、故郷の祭りの日が来ると飛んで地元に帰るという。つまり西洋猿マネ暗記と、祭りという神道の世界とに、分裂している自己になんの疑念も抱かぬのである。しかも褌(ふんどし)一つで荒れ狂ったとしても、それはカミ（「お天道さま」）のためにしているのだから、恥ずかしさは微塵も生まれない。それは相撲が神事であることも忘れられ、スポーツとして扱われていることにも表れている。

それに対し、西洋人は褌姿を嫌うし、彼らのほとんどがそれを忌避する。これは歴史、伝統、文化の違いであることが、戦後のゾンビ頭には分からない。

ところで江戸時代、庶民の入る風呂は男女混浴であった。これは日本人の多くが、ガラパゴス的未開社会という退化の世界を生きていたから可能なのであって、進化した武家はまったき神道の世界を生きていたから、女性が肌を見せることは無論、古い言い方になるが操(みさお)を奪われれば自害して果てた。つまり彼女らにとって処女性は極めて神聖な価値であって、武家の内儀が御歯黒で染めた理由もそこにあると思う。

この男女混浴の風習は、戦後の日本でも地方には残っており、私も浸かった経験がある。

戦後はこの内の未開社会における退化人間しか残らなかった。つまりその空っぽ頭は西洋を猿マネ暗記することによって、戦後史はゾンビによるホラー映画並みの下らぬものになった。

その下らぬゾンビ映画が、令和五年、岸田政権下で上映された荒井首相秘書官の「同性婚は見るのも嫌だ」発言騒動である。西洋猿マネ・ゾンビには、そんなものは見るのも「嫌」に決まっていることが分からない。それは天皇が同性愛者であっても許せても、同性婚を行うことは許し難いことだ、ということである。言い換えれば、天皇陛下御夫夫の姿など見たくない、ということである。それは（結）婚が歴史、伝統、文化に係わる政治・法律（国家）の問題――万世一系の国がなくなるということ――でもあるのに対し、同性愛は単なる個人の愛情の問題だということがゾンビ頭には分からない。

そも岸田政権が、荒井を解任した理由は、岸田の政策が「価値の多様性の尊重」であり、それに同調する日本人のトロさ（多神教と一神教との区別もつかぬ）はまさに空っぽ頭のゾンビである。それは例えば、多様性を無くすために法律が存在するのであり、また歴史、伝統、文化は、多様性がないから価値なのだということが分からない。つまり江戸時代のように、多様性のない社会の方が平和だ、ということである。それはアメリカを見れば分かるだろう。

この騒動は「ボーッと燃え上がり、消える」振り込め詐欺・いじめの世界と同断のものである。こういう馬鹿が首相になれるのが日本の現実である。

価値（言語。辞書の成り立つ理由）とは多様性がないから価値なのである。西洋人は彼らの歴史的古層をユダヤ・キリストに持ち、日本人は神道に置いている。そして丸山の愚かさは、キリスト教も神道も分からず「思想は言葉である」という、西洋人の受け売りをそのまま信じていることである。

ここでは詳述しないが、言葉は自然という無・無限なるもの（宇宙）を、自己の価値の拡大のために破壊する道具なのである。つまりメスで切り裂いているのである。

西洋人は砂漠の宗教を生きて来、その不毛さ故に破壊の概念（言語、思想）の上に進歩・欲望を置いたから、その行き着く先が終末時計になるのは当然であるが、彼らにはそういうことがまったく分からない。対して神道という自然進化を生きてきた日本人（特に武士）は、自然に手を付けなかった。むろん自然に手を付けたら、生きていかれぬ現実もあったが。

つまり武士は神道の無を生きていたのであり、彼らは天照大御神に繋がる万世一系の国人としての自覚があったから、日本民族の頂点にある天皇――これが西洋の王室と決定的に異なるところである――にほぼ、その歴史的古層において逆らえなかった理由がある。それが大江のようなゾンビにはまったく理解できない。多分、彼にはなぜ日本にこれほど多くの神社があるのか、理解できぬだろう。

神道のなんであるかを纏めると、それは進化という自然思想であり、そこに西洋のような（砂漠に根をもつ重大な悪徳をもった）思想は必要なかった。ただ日本人は進化の道を歩み、進化した武士と、退化した「村」人とが共生すれば、それで幸福に暮らせたのである。つまり戦後日本人がゾンビ化したのは、武士が存在しなくなったからである。

対して西洋に生まれたキリスト教文明は、生きていくために神の保証の下に、戦争、略奪、破壊を善とし、その歴史的古層の下に進歩・欲望思想を生きてきたから、最悪な文明になってしまったのである。

ところが神道さえ理解できぬ西洋妾の岸田首相およびその取り巻きは、神道が同性愛なら許容するが、同性婚は許さぬという歴史的古層がまったく理解できなかった。その点、安倍元首相が伊勢・志摩サミットで、外国首脳を伊勢神宮に招待していることは、日本という国柄を理解していたのかもしれない。しかし日本のゾンビ・メディアはそのことをほとんど報道しなかった。日本人としての自覚がないのである。

戦後の日本人は空っぽ頭の西洋妾になったから、なんでも旦那の言うことを有難がり、結婚式さえキリスト教会で挙げて喜ぶ馬鹿になった。「婚」の意味が分からぬのである。馬鹿とはこうした人間のことを言うのである。

日本人は神道の世界を生きているのであり、婚姻は男女がカミの前で夫婦の誓いをするという、歴史、伝統、文化を持つものなのである。だから同性婚など、神道の歴史的古層にはないから、荒井は「見るのも嫌だ」と言ったのである。それは日本人の感性として隣人が、夫夫・婦婦婚の証としてその表札を出し、住んでいたら嫌なのは当然だろう。日本人は「お天道さまが見ている」の世界を生きているのだから。それは男二人、女二人が住んでいるのとはまったく訳が違うのである。そういうことが分からぬのが戦後のゾンビ日本人である。そしてこれが進転し、振り込め詐欺・いじめ日本の現実となり、それはさらに凶悪犯罪国家化していくことになるだろう。なぜなら、国家を統治できる人間がどこにもいないのだから。

私は西洋において同性婚なるものが生まれた理由を次のように理解する。つい先日、ＮＨＫテレビを見ていたら、アメリカ留学の経験のあるトロイ女性タレントがアメリカにおいては男女が食事をする際、男性が女性の椅子を引いてエスコート（護衛）してくれることを、あたかも西洋の方が進んでいるかのように（私にはそうとしか理解できなかった）紹介していた。つまり私がトロイと言うのは、彼らが男女平等の社会を生きているのなら、自分でできることは自分でしろ、ガキじゃないんだから椅子くらい自分で座れ、というのである。それは男の立場からすれば「俺は女の召使いじゃないんだぞ」と思っても不思議じゃない、ということである。

そもそも私に言わせれば男女平等などという発想自体が下らない。彼らは進化の思想を生きてこなかったから、オスにはオスの、メスにはメスの役割があり、それがヒトに進化した人類の歴史的古層にもあるのだ、という思考ができない。その最大のものが生殖に係わることである。昔の日本人は進化の思想の下に生きていたからそれが分かっていたが、戦後の空っぽ頭の、西洋コンプレックス下にある猿マネ暗記ザルは、

「考える」能力がないからそういうことが分からない。西洋文明が狂っているという認識さえゾンビにはできない。

西洋において女性の権利が拡大したのは、わずか一〇〇年ほど前のことである。それも二つの世界大戦が国家総動員による戦争――民主主義が生まれたのもこれである――であったが故に糧秣、兵器、弾薬等の生産は銃後の女性の仕事になったことで、彼女らの社会的地位・権利が拡大したのである。

その点が日本人には認識できず、ただ西洋猿マネ暗記ザルとしての男女平等を唱えているとしか思えない。なぜなら「村」人は歴史的古層において、いまだ軍隊は悪であり平和憲法であることからも明らかだろう。いったい日本人の歴史的古層のどこから、市民としての民主主義や男女平等が生まれてくるというのか?

それによって結果的に、西洋の男性は女性を甘やかすことになった。つまり彼らは個(「私」)の思想を生きているから、女性は一度手に入れた地位・権利を手放すことはない。それが男女平等を超えて、男性は女性をエスコートせねばならぬという、男性召使い化の世界に広がっていったのである。

ところで大東亜戦争後間もなく、少年期に私はアメリカのホーム・ドラマ『パパはなんでも知っている』等を見て、アメリカの家庭はなんて素晴らしいんだろうと思った記憶がある。

が、間もなく馬脚を露わした。それは家庭内暴力であり、離婚に伴う親権争いから生じる子供の誘拐である。つまりそれは結婚に耐えられなくなった男女が現れた、ということである。それは事実上、女尊男卑の社会だということである。

どの程度かは知らぬが、フランスなどでは結婚という制度そのものが破綻し、同棲の形を取るようになったと聞いたことがある。

その点、アメリカはいまだキリスト教の力が強く、また個の価値が重んじられる社会であるから、彼らは日本人のように夫婦が「お天道さま」の下で仲間関係（群れ本能的価値）にある必要はなく、従って夫婦が男女の関係である必要もなくなった。むしろ気心の知れた男同士、女同士の結婚でもいいことになったのだろう(彼らの結婚観がどのようなものであるかは知らぬが)。

むろんアメリカはキリスト教国であるから、それが完全に国民の支持を得ることはないだろう。だから彼らはデモを行うのである。公認されているのなら、その必要もないはずだろうから。

多分、リベラリストのいう価値の多様性とはその種のものであり、それを日本の猿マネ・ゾンビが取り入れたのである。それは多分、過去のフェミニズム、ウーマン・リブのように「ボーッと燃え上がる」だけのことに終わるだろう。

私には日本人のトロさは、女性のために椅子を引いてエスコートする社会など、どう仕様もないものだと「考える」知的能力がないのだと思う。それはまた日本人の頭が幼稚園児並みのガキだということでもある。つまりそれはなんでも西洋の方が優れているという西洋コンプレックスであり、それは脚の長さにまで至る。馬鹿につける薬はない、とはまさにこういうことを言うのである。

すでに述べたように、日本人の歴史的古層は、空っぽ頭の「私が悪うござんした」

（私が間違っていました）だから、丸山が言うように「思想は外国からくる」しかないのである。

日本人で思想が日本国自身にあると認識できたのは、戦後では三島くらいだろう。それは彼には「士風の維持は万世の要なり」があったからである。

しかし戦後日本人は一応、神道の世界を生きてはいても、完全に退化した士風（無）のないゾンビしかおらぬから、ただ「ボーッと燃え上がり、消える」しかないのである。

その証しとも思えたのが、ＮＨＫテレビで放映された「水俣病」関連の番組であった（公共放送の長所は、ボーッと消えなくてよい点である）。

つまり神道の世界を生きながらゾンビ化した日本人には、ロシア・ウクライナ戦争の戦況よりも（結局、面白半分に観ているだけだから）、その発信すべき点において水俣病の方がはるかに重要であることが分からない。それは日本人がその歴史的古層において、自分たちが神道の価値観（自然を大切にする）を生きていることを、まったく自覚できなくなってしまったことにある。だからSDGsなどという如何わしいものに嵌り込むのである。

三　国家論

戦後日本人の頭の悪さ（退化）は底抜けである。その象徴がトロイの東大である。すでに述べたが、この国では丸山のような一流の詐欺師が、一流の思想家とされていることからも明らかだろう。

それはすでに述べた「日本には〝主体性〟が根付かない」「思想は外国からくるもの」が如実に示している。「思想が外国からくるもの」であるなら、外国人はどのようにして思想を作り出しているのか？　それへの考察が一切なされていないから、私は空っぽ頭だと言うのである。

西洋人が主体性を持っているのは、「我考える」に基づくその我がインチキだから、それを基にナチス・ドイツはホロコースト、アメリカは原爆投下といった人殺しを行い、イギリスはアヘン戦争、植民地主義を、また科学は自然を破壊する核兵器、地球温暖化等の様々な災厄を齎すに至った。

丸山のペテン性は「ヒトラーやゲッベルスをはじめ、ナチスの人間はしっかりとナチズムを、あるいは民族主義、アーリア人の優越性をはっきりと説明、自己の責任をとった」「その言論をしっかり述べて、それが主体性となって、ファシズムをつくった」というが、これは単なるヤクザの口車であり、その後どん底に突き落とすのが彼らの手口だ、ということが分からない。日本のヤクザだって、相手を口車に乗せて騙し、それが明るみ出れば責任を取らされた。それはナチスにしても責任を取ったわけではなく、取らされただけのことである。

ヤクザは権力を握り金に成りさえすれば、誰に対しても脅し文句を口にし、実際それを実行（戦争等）した。丸山がそれをあたかも主体性として賛美するかのような発言をするとは、狂っているとしか思えない。彼の歴史的古層には「主人」の自覚がなく、従って主体性のない「逃げ走る」「客分」であるから、ヤクザさえ立派に見えてしまうのである。主体性の窮極は、福沢も言うように「殺人」である。

日本で主体性（ヤクザ性）を持ていたのは武士だけであった。しかし武士は人殺し好きではなかった。

たとえば『葉隠』の「武士道といふは死ぬ事と見付けたり」、また『武道初心集』の「武士たらんものは正月元日の朝雑煮の餅を祝ふとて箸を取初るより其年の大晦日の夕に至る迄日々夜々死を常に心あつるを以本意の第一とは仕るにて候」のそれらの「死」は、まず第一に「人を殺す」以前に「自分を殺す」＝「無」だ、ということである。

彼らは主君が死ねば追い腹を切り、自らの行為を恥と知れば切腹し、また三島のように救国（『憂国』）のために腹を切ったが、そんなことの分かる日本人は、もはや一人もいない。

武士が武器としてほとんど役に立たぬ小刀（しょうとう）（脇差）を腰に差していたのは、そのためである。

中国、朝鮮の戦国時代劇を見ていても、そんなものは所持していない。

それを帯びていた武士に考えられることは、主君（天皇）の死は武士にとって神の死にも等しいから追い腹を切る（それはキリスト教の殉教に等しい）のであり、また自らの恥のために死ぬのは、日本は島国であって土地は限られており——大陸国家のように侵略することができぬから——武士にとって土地は一所懸命の地であり、それを守るために命を賭けるから、自分たち武士のための掟というものが作られることになった。そしてその掟を破ることが恥へと変質していった。

三島の切腹もその掟内のものであり、武士たちの歴史的古層に横たわる、土地（国）を守るという歴史と伝統とを彼らは生きてきた。

ところが戦後の日本には、その武士に相等するものが存在しない。自衛隊があるだろうと言うが、彼らが「逃げ走る」「客分」のために命を賭けるとは思えない。「俺は逃げる、お前ら戦え」のような恥知らずな世界など成り立つわけがない。自分の身は自分で守るという廉恥心としての恥がない。

これは武家の妻女にも当て嵌る。彼女らは懐に懐剣を忍ばせていたが、護身用としてはなんの役にも立たない。それは妻女が辱めを受けたとき、自らの聖なるものを侵されたとして、自害するために身に付けていたものである。この武家の男女のもつ恥の思想は、神道の清明心に由来するものである。

その意味では、彼らは恐ろしいまでのリゴリズム（厳粛主義）を生きていたのであり、それを身に付けるには厳しい教育が必要だったはずである。

それは恥を知らぬ西洋ヤクザ市民が、ただ人を殺すために――つまり「市民といふは人を殺す事と見付けたり」のために――武器を進歩、発達させたのとは根本的に異なる。

だから進化を生きる日本においては、武器はそれほど発達しなかった。『鉄砲を捨てた日本人』もそれである。

人を殺すのは容易だが、自分を殺すのは難しい。だから武士道は簡単に滅んでしまったのである。

従ってどうにか西洋ヤクザに太刀打ちできたのは武士だけであり、それが完全に失われた戦後日本という、ただ死が恐ろしく「逃げ走る」「客分」しかおらぬ人々が、民主主義の真似事をやってもどうにもならぬのは明らかだろう。

たとえばＮＨＫ党のガーシー議員が、国会に登院しないなどは、江戸時代なら即切腹だろう。そしてその後、この党が「政治家女子48党」と改名することは、まさに人間退化に外ならず、民主主義の完全な破綻である。江戸庶民が退化しても幸福に暮らせたのは、武士の存在があったからである。そしてその退化が裏目に出たのが戦後である。

私が丸山を詐欺師だと言うのは、彼は大東亜戦争中すでにこの戦争が「間違った戦争」だと気づいていた（戦争に負けたから間違っていた、では意味がない）。そうであるなら、一国民として抵抗運動等の組織作りに奔走してもいいはずである。少なくとも西洋市民とはそうした存在であり彼はその知識も持っていた。それに実際、戦後、丸山の「間違った戦争」観に同調した者は多数いたのだから。しかし結局、彼らは口先だけの者だったのである。

丸山にそうさせなかったのは、「村」人としての臆病さ（死への恐怖）であると私は思う。これは戦後の日本国憲法を平和憲法などと言って「逃げ走る」のも、同列のものである。もし抵抗運動等の行動によって軍に捕らえられれば、殺されるのではないかという恐怖。

むろん丸山のような「逃げ走る」「村」人が臆病なのは、彼らの歴史的古層に「無」のないことを考えれば当然である。それは『葉隠』に言うように「我人（われひと）、生くる方がすきなり、多分すきの方に理が付くべし」が人の一般であり、丸山は理を付けて「逃げ走った」のである。むしろ武士だった三島の方が、戦後の日本人には異常だったのかもしれない。

しかし人の人格の高低は、何を言うかではなく、何をするかに掛かっていると思う。それはまた、生きているより、死ぬ方が楽だと思って生きている人間もいる、ということでもある。

私が丸山を非難するのは、彼が臆病であったからではない。私の非難の矛先は、彼が自らの臆病さを自認し恥じて戦後、沈黙することなく、むしろ逆にそれを利用して「間違った戦争」という詐欺に走り、さらにまた「日本には〝主体性〟が根付かない」などと言うことにある。まさに自分の臆病さを棚に上げておいて、「良く言うよ」である。つまり、日本に主体性が根付かぬのは、ほとんどの日本人の歴史的古層が死への恐怖による「逃げ走る」「客分」という「村」人だったからである。従って戦後の丸山の主体性のない言動は「村」人の厚顔無恥、恥知らずに支持されることになった。

この日本という振り込め詐欺・いじめ大国において、戦後の知識人擬きは、いとも易々と丸山の詐欺に引っ掛かった、と言うより引っ掛かりたかった。自らを正当化するために。そして同時にこの擬き連中は、その歴史的古層において頭が空っぽであるが故に、自ら進んで西洋の振り込め詐欺に引っ掛かりに行き、それによって西洋猿マネ暗記ザルとなり、その正当化されたサルマネ頭でいじめ（村八分）に走ったのである。これは日本「村」人の国民性である。

このことは、日本「村」人が空っぽ頭の「私が悪うござんした」観の歴史的古層を生きてきたことと無関係ではない。「私が悪うござんした」とは、ただ武士（軍人）が怖いから、取り敢えず無根拠に「私が間違っていました」と言って頭を下げれば、なんとか命は助かったからである。

丸山の「間違った戦争」観も、そうした歴史的古層に根づくものの反動である。そして日本の敗戦と共にもはや「怖い者」はいなくなり、しかも連合国という味方も付いてくれたとなれば、もう言いたい放題である。

彼が戦前の軍部を「軍国支配者」の「無責任の体系」として非難したのは――自分の無責任さは棚上げにし（これも「村」人の国民性である）――戦前において軍部に無根拠に「間違っていました」と言わされてきた、いじめへの意趣返しとしてのそれである。

そして戦後の日本「村」人は、武士に対し「私が間違っていました」と言わされ続けてきた歴史的古層を持っているから、今度は逆に何でも構わず無根拠に、軍国主義＝武士＝悪として非難することになった。別言すれば「間違っていました」と言わされてきた劣等意識を歴史的古層に植え付けられていたから、その半ば反動として「村」人らしい弱者の自己偽善によって、戦前の軍国主義を非難すればするほど、「俺って立派だろう」人間になれたような錯覚に陥ることができたのである。これも「村」人の国民性である。

その最たるものが朝日新聞の従軍慰安婦報道、大江健三郎著『沖縄ノート』（岩波新書）である（ただし大江は戦争に係わっていないから、丸山の詐欺に引っ掛かったとも言えよう）。これらは歴史的古層に劣等意識として植え付けられた、いじめに対する意趣返しであるから――つまり単に「村八分」をするだけだから――なんの証拠となる裏付けもなしに行うことができた。

これが戦後、自分の思想をもたぬ空っぽ頭の左翼と呼ばれる連中の破廉恥さである。そしてこれは歴史的古層に横たわるものであるから、今も変わらない。

それはすでに述べた『朝日ジャーナル　知の逆襲第2弾「日本破壊計画」』の馬鹿さ加減からも明らかだろう。

ところで国家論だが、これまでのことを考えると、戦後日本で国家が分かっていたのは、三島くらいではないかと思う。彼の檄文「それは自由でも民主主義でもない、日本だ。われわれの愛する歴史と伝統の国、日本だ」はそれを明確に語っている。

これはいかなる国家においても、国家意識を持った市民なら誰でも抱くところの、ある種の尊王攘夷思想（群れ本能的価値に基づく自国に抱く愛の思想＝愛国心）を彼が持っていた、ということである。ところが市民の存在しない（「逃げ走る」「客分」しかいない）日本に、愛国心をもつ者はほぼ存在しない。私も持っていないが、私の場合、日本人を止めたからである（死者を愛することはできない。思い出とすることができるだけである）。

国家とは、軍事力と経済力とによって成り立っていると同時に、その底辺には歴史、伝統、文化がなければならず、それらが市民意識を成り立たせているのである（それはヨーロッパ人のそれらへの愛着が示しておろう）。つまりそれらがあって初めて、国家における自己の存在証明（市民意識）が成り立つのである（「逃げ走る」「客分」にそんなものは必要なかろう）。従って国家間同士に意識のずれが生じたとき戦争が起こるのである。

だが戦後日本「村」人は、文化は持ってはいても――たとえば祭り、勤勉な労働観（これが戦後日本の経済復興を可能にした）等を――しかし歴史も伝統も持つか否か以前に、そのなんであるかを知る者はほとんどいない。日本人がたまたま持っていたのは、経済力だけであり、従って市民など存在するはずもない。しかも戦後、金によって完全に頭を殺られてしまった日本人に、歴史や伝統の意味を理解するだけの知力はない。

武士はもともと農民からの出自で、その土地を一所懸命の地として死守したところに生まれたものである。それが日本人の歴史と伝統と文化との根源にあるものである。その理解がまったく失われてしまったことを明らかにしたのが、成田空港反対闘争である。それは農民にとって土地は金の問題ではなく、歴史と伝統と文化とのそれだということが、完全に失われてしまったことを意味する。そしてそれらが失われることによって、ただゾンビが金を求めて徘徊するだけの国になってしまったのは、今更バブル経済を思い出すまでもあるまい。

そのことは、この国は武士の歴史的古層を持つ者が統治、指導（教育）をしなければ、いずれ潰れるだろうことを示している。それは福沢も言うように、この国を維持してゆくには「士風の維持は万世の要なり」なのである（丸山が福沢をまったく理解できなかったのは、彼には士風がなかったからである）。

歴史と伝統とは、その歴史的古層においての統治者（主人）意識がなければ生まれない。つまり「主人」のいない戦後日本には、歴史も伝統も理解できる者はいない。それらを持つことによって、国家意識は成り立っているのだが、それらをまったく持たぬ戦後の日本人の頭は、安全に空っぽである。しかも空っぽの頭はなにも生み出せぬから、「思想は」丸山の言うように「外国からくる」しかなく、その結果として西洋猿マネ暗記ザルになる。戦後の日本人が「金塗れ（かねまみれ）」になったのも、西洋から「欲望の資本主義」が入って来たからである。

「主人」の「考える」能力を持っていたのは、日本においては武士だけであり、軍事力は言うまでもないが、歴史、伝統が分かっていたのも彼らだけである。

歴史とは、その国家等の政権、権力の成り立ちを正当化するための、言わば存在証明である。それは武家政権に限らず、権力者はその手段の一つとして歴史書を残す。日本では『古事記』『日本書紀』に始まり『大日本史』に至るまで様々なものが生まれた。つまりその正統性が軍事力の根拠となり、また伝統の後ろ楯ともなる。
また伝統とは、自らの正統性を象徴するもの――たとえば天皇が「三種の神器」に拘ったのもそれ――であり、それと歴史とが相俟って、まさにそこから権威が生ずるのである。

それは天皇から武家の頭領に征夷大将軍の官位が授けられることによって、その軍隊に正統性が与えられることでもある。

それはまた幕末、『大日本史』から生まれた水戸学が天皇の権威を高めることで、その下に武士の伝統と愛藩心とが相俟って戦を生じさせ、そこに明治新政府が成ったのである。従って天皇が現人神になるのは、さほど不思議なことではない。これはローマ教皇の権威のメカニズムとほとんど同じであるから、戦後、マッカーサーは天皇に人間宣言をさせたのである。そしてそれに対する日本「村」人の反応を見て、「なんだ十二歳の少年じゃないか」と言ったのである。

このことは、丸山が言うように主体性がなかったのは東條ら軍部だけではなく、丸山を含む大多数の日本人がそうであったから、天皇の人間宣言に無反応でいられたのである。三島のように憤ったのは、武士のような例外者だけであった。

このことは何を意味するのか？　つまり武士の頭は空っぽではなく、尊王攘夷という思想が詰まっていたのに対し、丸山の頭は空っぽだったから「日本には〝主体性〟が根付かない」とか「思想は外国からくる」という、自らの歴史的古層としての「村」人性を語ることになったのである。

それに戦前の「村」人にとって何が怖いかと言えば、死（軍隊）と「村八分」とであるからして、自ら主張し行動する主体性ほど恐ろしいものはない。すなわち丸山が戦前は沈黙し、戦後になってぺらぺらと喋り出したのは、死も「村八分」もなくなったからである。

そのことから分かることは、西洋ヤクザ市民にもっとも近かったのは武士だということである。

ここで死への臆病さについて一言述べおく。

何も私は自分が臆病な人間ではない、と言いたいわけではない。むしろ徹底的に臆病な面もある。

しかし人である限り必ず死はやって来る。その覚悟をもっての臆病さであり、それは自分の死に場所、死に時を心得て生きる、ということである。私は『葉隠』『武道初心集』の「死」をそのように読む。

私は自分が思想家になることを自分の天命だと心得、そのために生きているだけである。つまり天命を果たし終えたら命はいらぬと。だからどんな苦痛にも耐え、またどれほど神に縋り付きたかったことか。しかし私の思想自体が、神を否定したニヒリズムの上に成り立っている以上、神に縋るわけにはゆかない。

人は神があれば強くなれる。

それはナチス・ドイツにアウシュヴィッツで、処刑者の身代わりになって、餓死の刑によって死んだコルベ神父のことを私に思い出させた。彼はそこが自分の死に場所・時だと、心得たのだろう。

この思想は本質的に武士も同じであるから、明治維新とともに多くの武士出身者がキリスト教徒になった。

だが、私が今ここで言いたいのは武士・三島の死についてである。

彼も死への覚悟があった。それはコルベ神父のように、自分の死によって誰かが救われるなら、それで良いという覚悟である。

三島にとっての『憂国』とは、「このまま行ったら『日本』はなくなってしまふのではないか」という思いであり、日本人の歴史的古層（歴史、伝統）に「自由も民主主義も」ないから、そう考えるのは当然であり、事実、戦後日本は丸山のようなゾンビが徘徊する国となった。

それはまた、『アーロン収容所』（会田雄次著）において、詳述はせぬが（過去に沢山書いているので）、英軍中尉が事実上、日本を奴隷の国と見、自らをサムライの国と見做したことにも見て取れる。サムライの国とは、武士に徴兵制がなかったように、英国市民社会にもそれはなかった。それをお詫びと反省とを言ってくる日本兵は、サムライではなく奴隷だ、と彼は言ったのである。

それはルソーが『社会契約論』で言うように「統治者が市民に向かって『お前の死

ぬことが国家の役に立つのだ』というとき、市民は死なねばならぬ」、と言うのと同様である。これは武士の世界と同じである。だから三島は国家に役立とうと死んだのである。

それが英国人記者、ヘンリー・S・ストークスが三島の死を「武士道精神を語る多くの人間よりは、武士道精神を実行してみせた男」として評価する所以である。私は彼の死を評価できた日本人を、寡聞にして知らない。戦後日本「村」人には、いじめはできても、国家のために命を捨てるという覚悟がない。

ここで一言、英軍中尉が事実上、自国をサムライの国と見、日本人を奴隷と見做した理由について説明しておく。

ヨーロッパ人は古代ギリシャに見られるように、戦争をするのが市民（主人）であり、労働は奴隷の仕事であった。これは西洋史を貫く一本の基本的市民＝主人観であって、それはイギリス等の植民地政策、アメリカの黒人奴隷からも見て取れる。そしてこの歴史的古層から生まれた主人が労働を厭う労働価値観が、資本家（主人）と労働者（奴隷）との関係の上に成り立つ資本主義を生み出すに至った。

　それに対して、日本は農民主体の国であって、そこから武士が生まれたのであり、それが天皇を中心とする神道（八百万神＝自然神）の国という国体を成り立たせたのである。従って日本人にとって労働とは、神々（自然）に仕える神事に近く、労働は苦ではあっても、そこには神々に生かされている感謝の喜びが見出せたのである。これが日本人が勤勉に働き、祭りに興じる歴史的古層である。

　そういう違いも分からず、資本主義を安易に取り入れることは、いずれ日本国自体の自壊に繋がることは目に見えている。

四　思想論

正直、思想論とは名付けてみたものの行き詰まった。（西洋）思想とは、「何何主義」「何何イズム」であるが、そんなものは日本にはない。

このとき西洋人の自己偽善という思考法を思い出した。自己偽善とは、ヒトは「主体は虚構（嘘）である」（ニーチェ）の世界を生きているから、他人はむろん自己をも嘘によって騙すことができる、ということである。別言すれば、無（な）いものを自分で作り出し、自分を騙し有（あ）ることにしてしまうこともできる、ということである。神（キリスト教）などはその典型である。ただし自分で吐（つ）いている嘘だから、それが嘘であることを見抜くことは、基本的にできない。

「主体は虚構である」とは、ヒトは価値（言葉）という嘘（フィクション）の世界を生きている、ということである。それはたとえば小説（フィクション）を読み、それに嵌まり込めば、その一時（いっとき）は価値ある虚構（フィクション）の世界を生きていたことになる。ヒトは実在の世界を生きているわけではなく、言語（価値）という虚構（フィクション）の世界を、実感として生きているだけなのである。だから実体は無なのである。

それは言い換えれば、ヒトは「色即是空」の世界を生きている、ということである。つまり色という目に映る等の世界は、言葉（価値）によって成り立っている虚構（嘘）の世界であり、実体は空（無）だということである。このことをヨーロッパ人で、ある程度理解できたのは、ニーチェだけである。彼が仏教に惹かれた所以もその辺りにあるかと思われる。

そうであるなら、空（無）を知るにはどうすればよいのか？　それは進化の逆行（身心脱落）によって、サルないしは原ヒトの無（実体）に戻って、そこから現今の状況を見ることである。ただし言語（意識）によって実体（無）との間を遮断し、進歩の世界を生きている西洋人には理解できない。

では、なぜ日本人はそこに無を必要としたのかと言えば、たとえば武士は戦場にあって、その場の状況を言葉（意識）による色だけで判断することは、危険が伴う。だから身心を脱落することによって肉体を無（空）とし、死の恐怖をなくすと共に敵がなにを考えているかを0（ゼロ）から探ることに目的がある。つまりヒトの本然である色（言葉）のない、原ヒトという空（無）の状態にあることは、色に染まって判断するわけではないから、生き延びる確率を高くする。武士はそのために武道、禅等の肉体の修行を行い、無を体得した。

戦場で「逃げ走る」「客分」のような「村」人の頭で「考える」と、大東亜戦争のようなことになる。これは戦後も変わっていない。

これは禅の無も同じである。ヒトは苦しみがあるから苦しむのではなく、その原因は言語という色だということであり、それを禅においては身心脱落（進化の逆行）を通して無を体得することによって、苦の正体が色＝言語であることを肉体で悟ることで、それを軽減しようという修行である。

これは神道においても言えるが、そもそこには無（空）の概念そのものがないから、それは神仏習合のような形で発展するしかなかった。そして戦後、仏教の衰えと共に、神道はその形としてしか残らぬことになった。それは神社の数の多さ、そして同様に参拝する人の数にも表れているが、参拝者の内面はほとんど空っぽに近い。

日本人はすべてを体で覚えるのであって、それは体なしの頭だけで覚える「何何主義」「何何イズム」とは無縁である。だから昔の日本人は肉体で修行したのである。これが進化の思想である。


それは日本が森と水とからなる農耕に適した自然豊かな島国だったから、西洋文明のような劣悪な思想を必要としなかった。日本人は西洋の自由、平等、民主主義等を立派な思想だと思っているようだが、まったく逆である。西洋にはそれらのものがなかったから、それらの思想が生まれたのである。彼らの社会はそれらのものがないほど劣悪だったのであり、彼らの思想はその内部にその劣悪なものを孕むことによって成り立っているのである。つまり彼らの思想はヤクザ社会のそれだと言ってもよい。

それに対し日本は平和だったから基本的に神道だけで足り、その不足した部分を仏教等が補ったのである。

日本で思想と呼べるようなものは、集団で森を切り開き「人の道」を作ることによって人々が交わり、そこで農耕に勤（いそ）しむための水の流れを生み出す必要があっただけであった。つまり日本にあったのは「何何道」「何何流（流れ）」だけであり、それが日本人の歴史的古層であり、その「道」にも「流」にも、個性というものは必要なかった。個性はむしろ悪であった。

それはたとえば、道の例として歌道を挙げれば、昔の歌人は「二十一代集」という、なんの変哲もない和歌（うた）を延々と詠み続けてきた。それは日本人が自然のなかで仲間同士で生きてきたから、和歌が歌道の家元を中心とした影響の下に、良（よ）いとか悪いとか論じあって、その道を固めて行けばよかったのである。しかし仲間であっても集団の道を完全に、一本に纏（まと）めるのは難しい。従ってその道の中（うち）に飽き足らぬものは、そこに流派を形成し、また同じような発想から「一子相伝」のようなものも生まれることになった。

この「道」「流」が西洋の悪しき思想に対する、平和であった日本の良き思想に当たる。丸山にはそうした思考が一切できなかった。その一見なにもないかのように見える日本の思想に、戦後多くの空っぽ頭の日本人が西洋コンプレックスに陥る原因があった。言語化されたものだけが思想だ、と思ったからである。

そうした歴史的古層を生きてきた日本人は、武士を除けば凡そ個性とは無縁であったのが、明治維新と共に西洋文明の流入によって、個性を知ることになった。しかし個性の本質（歴史的古層）を知らぬ日本人は、それを上辺でしか捉えることができなかった。たとえば明治時代になって、二十一代集より万葉集の方が優れているという評価は、前者が安定した乱れのない道（平和とはその意味で退屈なものである。ただし日本においては四季という自然が楽しませてくれた）であるのに対し、後者はまだ道が定まらず、各人（おのおの）がそれぞれの思いを歌ったからユニークなものになったのである。そして日本人は歴史的古層に「考える」能力を持たぬから、多くの歌人が万葉集をマネし、また大東亜戦争後は西洋を前衛的だとして取り入れ（マネし）、果ては「第二芸術論」に至るのである。つまり日本においては「考える」こと＝「マネする」ことであり、そこに外圧に弱いと言われる所以がある。

日本人はいまだそうした発想の下でしか生きられぬから「ボーッと燃え上がり、消える」だけなのである。そんなだから、「道」においては末(すえ)は極道にまで至り、また民主主義も単なる派閥政治に過ぎなくなってしまった。つまり農耕民族である日本人は、道や流派のなかにある限り安心だという歴史的古層があったから――「村八分」にされぬから――そこから個の思想は生まれようもなく、それは丸山の言う個の「思想は外国からくるもの」になるのである。つまり彼は（西洋の）思想を善いものだと思い、言葉にならぬ国民性、民族性といった「人の道」を、思想として捉えることができなかったのである。だから日本には思想がないことになってしまったのである。因(よ)って日本人は、西洋猿マネ暗記ザルに成らざるを得ぬことになったのである。そしてサルはそれを不思議にも思わなかった。

　それは日本人が「頭で考えず」、「肉体で考える」という生命進化の道を生きてきた結果である。それはニーチェの言う「肉体のなかに住む『本来のおのれ』」「肉体のもつ大いなる理性」（後述）で「考えてきた」、ということであり、しかも肉体は「個」

を持たず、個で「考える」ことのできるのは肉体のない意識で「考える」西洋人だけである。それはデカルトの哲学からも明らかである。

ヨーロッパにも、進化はキリスト教文明以前には存在していたが、「ノアの大洪水」によってその地が砂漠化し、自然を失うことで進化ができなくなった。その事実は食糧を欠くことを意味し、それを巡っての戦争の多発化と同時に、人命は塵灰(じんかい)の如く軽いものとなった。

日本人にはとうてい理解できぬ世界だが、古代ローマ帝国においては、グラディエーター(剣闘士。奴隷などの身分の者)の殺し合いを娯楽とするヤクザ市民――市民とはそうした歴史的古層をもつ者だ、と気づけば西洋史も多少は理解できるだろう――つまり戦争、略奪、破壊の下に進歩と欲望とに現を抜かしていた帝国市民の間から、それらと真逆のキリスト教という宗教が生まれ、そこで自らで自らを騙すという自己偽善の思想が生まれたことは、劣悪な社会を生きる彼らにとって特別、異常なことではなかった。そしてそれは良くも悪くも西洋人の歴史的古層となり、彼らはイエスの奇跡に満ちた教えに逆らってまでも、数々の残虐行為を行ってきたのは、自己偽善という思想自体が、それに対する自覚そのものを持てぬからである。自己偽善とは、彼らは気づいていないが、もともと意識の外にある肉体の無の中で起こるものなのである。

このようなまさに救いようのない古代ヨーロッパ世界であるからして、そうしたキリスト教が生まれたのだが、そのことは、キリスト教自身が救いようのない戦争宗教としての歴史的古層を抱かざるを得ぬことになった。

キリスト教が生まれたメカニズムは次のようになる。それはまず、砂漠に生まれた神であるからして、その根拠である自然の恵みを持たぬ人工神だ、ということである。それはアナトール・フランスの言う「人は自分で神を作り出し、それに隷属する」ような神である。つまり無いものを自分で作り出し、それを自己偽善によって自らを騙し、それに最高の価値を与え隷属（信仰）するというものである。それは事実上、自らの言動をすべて正しいとして、自らを肉体をもたぬ神人ヤクザ化した宗教だ、ということである。つまりそれはキリスト教徒は、なにをしても許される神人ヤクザ稼業化したことは歴史が示している。どうしてそうなったかと言えば、デカルトの神はその身体のない哲学に支えられているから、肉体を失うことで無意識にも、その頭だけで「考えた」ことは神に保証された行為であるから、自分がなにをやっても許されることになった結果、そこに混沌劣悪な社会を生み出すことになったのである。

それはアメリカという軍事大国（銃社会）が、同時にキリスト教大国であるのは、古代ヨーロッパ人のように、自分の命は自分で守らねばならぬような危うい社会であり——つまり死は身近にあるものであって——それは同時に戦争が商売として成り立つことをも可能にさせた。そのことは神人ヤクザ市民が生きるということは、生命世界同様に常に命が脅やかされる危険にある、ということである。そしてそれはアメリカ銃社会がなくならぬように、核兵器の世界にも当て嵌る。

つまり西洋人は『聖書』（神）を自ら作り出し、自らをそれによって騙してきた自己偽善は、たとえば『聖書』では時は神のものであったのを、フランクリンは「時は金なり」に改竄したことは（資本主義はそうして進歩してきた）、彼らのそうした歴史古層に横たわる戦争、略奪、破壊を、進歩と欲望とによって、近代ヨーロッパ世界（第一次世界大戦以降）を惨憺たる有様にしたのは、まるで自らが詐欺を働きその報いを受けたかのようなものである。

そこからキリスト教離れが起こったことに不思議はないが、ヒトは「意識」（言葉）で「考え」て生きているわけではなく、その歴史的古層の支配の下を生きているのであって、それはすでにニーチェで述べた、ヒトは「肉体のなかに住む『本来のおのれ』」の「本来のおのれ」の支配下を生きている、ということである。

これだけではよく分からぬだろうから詳述する。ニーチェは『ツァラトゥストラ』で次のように述べている。

君はおのれを「我」と呼んで、このことばを誇りとする。しかし、より偉大なものは、君が信じようとしないもの――すなわち君の肉体と、その肉体のもつ大いなる理性なのだ。それは「我」を唱えはしない。「我」を行なうのである。

感覚と認識、それは、けっしてそれ自体が目的とならない。だが、感覚と精神は、自分たちがいっさいのことの目的だと、君を説得しようとする。それほどにこの両者、感覚と精神は虚栄心と思い上がったうぬぼれに充ちている。

だが、感覚と精神は、道具であり、玩具なのだ。それらの背後になお「本来のおのれ」がある。この「本来のおのれ」は、感覚の目をもってたずねる。精神の耳をもって聞くのである。

こうして、この「本来のおのれ」は常に聞き、かつ、たずねている、それは比較し、制圧し、占領し、破壊する。それは支配する、そして「我」の支配者でもある。

わたしの兄弟よ、君の思想と感受の背後に、一個の強力な支配者、知られない賢者がいるのだ、――その名が「本来のおのれ」である。君の肉体のなかに、かれが住んでいる。君の肉体がかれである。

ここで彼が「君はおのれを『我』と呼んで、このことばを誇りとする。しかし、より偉大なものは、君が信じようとしないもの――すなわち君の肉体と、その肉体のもつ大いなる理性なのだ。それは『我』を唱えはしない。『我』を行なうのである」とは、その「肉体のもつ大いなる理性」が歴史的古層に外ならない。言い換えれば、意識の外に広がる世界は実体（肉体）のない虚構（嘘）である空（無）だ、ということである。実体は「肉体の無」「肉体のもつ大いなる理性」（サルないし原ヒト）にあるのである。その無から私はニーチェのニヒリズムの援用を受け、歴史的古層に達しそこから世界を見ることが出来るに至った。

さらに「感覚と認識、それは、けっしてそれ自体が目的とならない、だが、感覚と精神は、自分たちがいっさいのことの目的だと、君を説得しようとする。それほどにこの両者、感覚と精神は虚栄心と思い上がったうぬぼれに充ちている」の虚栄心とうぬぼれとは、まさにイエスの教え、またヒトが所詮、自然生命であることを忘れ、自らを神人化し、進歩と欲望との道を突っ走れば、いずれそのしっぺ返しを食らうだろう、と言うことである。

そしてまた「この『本来のおのれ』は常に聞き、かつ、たずねている。それは比較し、制圧し、占領し、破壊する。それは支配する、そして『我』の支配者でもある」とする「本来のおのれ」とは進化のメカニズムを敢えて（彼にその自覚はないにしても）言葉で表したものであり、彼のニヒリズム（歴史的古層）でもある。ニーチェが「ヨーロッパのニヒリズム」と言ったのは、彼がそうしたヨーロッパ人の歴史的古層を直観していたが故に出てきた言葉である。

つまり彼をしてヨーロッパ文明のもつ歴史的古層が表れたということとは、ニヒリズムが表出したのと同時にキリスト教も否定された、ということである。すなわち、彼がキリスト教を否定したのは、その上っ面だけではなく、彼らの歴史的古層に宿る進歩と欲望とに基づく戦争、略奪、破壊にまで至るものだ、ということがヨーロッパ人にはいまだに分からない。せいぜい彼らの空（無）の世界への理解は、フロイトの無意識程度しか持ち合わせていない。

このことは、ニーチェがニヒリズムと言ったのは、これまでの西洋思想とはまったく異なったものだということである。つまり彼はこれまでのキリスト教下に生まれたほぼすべての言語化された思想を悪として否定したのである（彼が自らの思想を体系化ではなく神話、箴言として表した理由はそこにある）。従ってニーチェの思想を理解できた西洋人は一人もいない。

ニーチェのニヒリズムは、キリスト教下から生まれたヨーロッパ文明の、未来を含めた全否定であった。むろんキリスト教に全責任があるわけではなく、古代ヨーロッパ社会の劣悪さによるものでもあり、――それによって彼らが麻薬中毒者並みに神による進歩と欲望とに憑かれたのは事実であるが――彼のキリスト教批判とはそうした性質のものである。なぜそうなったかと言えば、再三述べてきたように、それが砂漠の宗教であり、生き延びるため戦争、略奪、破壊を進歩と欲望との下に、それらの傲慢さに彼らは神人として目覚めざるを得なかったのである。そしてそうした行為を自己偽善を通して、『聖書』を自己にとって正当に（彼らはそう思っている）改竄するという、つまり神人であるが故の自己偽善を行うことにより、そうした思考法を歴史的古層化することに為ったのである。

しかし真っ当な人間から見れば、そこは極めて劣悪な社会であり、それを改めることを主張する人間の現れるのは自然である。そしてそれに賛同する人々も現れてくる。従ってそれはどうしても「言葉」（という嘘）で行われるしかなく、その言葉の下に集まってきた人々の「考え」が、後々の「主義」、「イズム」、また自由、平等、人権等の思想術語へと繋がってゆくのである。そこに「主義」、「イズム」等の言葉の嘘性がある。

つまりそれらの思想が生まれたのは、彼らの社会が極めて劣悪であったのと同時に、彼らの自己偽善が当然「個」に基づくものであるからして、個に有利にしか自己を騙せぬ歴史的古層を持つに至ったことである。すなわちたとえば、彼らの自由は個の自由であって、集団のそれではない。そも集団の自由というものは言語上存在せず、それは過去、平和な日本において、自由は悪い意味にしか使用されなかった。集団的価値を生きてきた日本人は、個であることは悪いことであって、人が自由でないことを知っていたから自由でいられたのである。つまり日本においては「人の道」を歩んでいれば、自然、集団の自由になれたのである。

それは西洋史に明らかなように、集団の利益のために個の自由を追求しようとも、結果的には弱肉強食的、強い個の利益に落ち着くことになる。つまり「思想は言葉である」において自由とは、それはあくまで「個」の思想の下でのことであって、当然そこには対立が生まれることになり、結果的に諍い（いさか）が起こり、個の自由を巡って争う劣悪な社会に至らざるを得ぬことになる。その行き着いた先が民主主義である。言うまでもないが、民主主義の本質はヤクザの争い事である。従ってそこでは当然、金が動くことになる。

そうした「主義」「イズム」のなんであるかは、アメリカの民主主義＝資本主義が明らかにしてくれるだろう。

アメリカ人が建国以来、民主主義の下に、進歩と欲望とを求めて、戦争、略奪、破壊によってどれほど多くの無辜の民を殺戮し、奴隷化してきたかを忘れることができるのは、神の下での自己偽善による神人化だからである。

また彼らの奴隷を基（もと）とした資本主義にしたところで、それは歴史における主人（資本家）と奴隷（労働者）との歴史的古層下の変質に過ぎず、民主主義＝資本主義はいまだ人種差別、格差社会のままである。つまり民主主義は立前上、自由、平等、人権等を表看板とする社会であるが、事実上、実権を握っているのは、資本家および彼らと同じ歴史的古層をもつ者である。

彼らのヤクザ民主主義＝資本主義は当然、平和であっては成り立たず、流動的渾沌さ——たとえば軍事大国、銃・麻薬社会等——の上に成立しているのである。それは言い換えれば、かつて平和だった日本の「人の道」の世界とアメリカン・ドリームとは無縁だということである。

その意味では、西洋思想とは詐欺と変わらない。なぜなら、それは表表紙と内容が著しく違っている——すでに述べた「主義」、「イズム」等が嘘性の上に成り立っているもの——だからである。ただ詐欺と西洋思想との違いは、前者は言葉をもって騙せるが、後者の人の意識は言葉によって支配できるものではなく、「肉体のなかに住む『本来のおのれ』」＝歴史的古層に支配されているものだから、いくら言葉で自由、民主主義等を叫ぼうとなんら変えられぬ、それ自身が詐欺の上に成り立っているからである。その意味では彼らの文明は根っからの詐欺・自己偽善文明である。それは別言すれば公認された詐欺だ、ということである。彼らは自己偽善の思想を生きているから、それを詐欺とは感ぜぬだけなのである。そして詐欺であるかないかを区別するのは、ただ法律だけである。

詐欺師はうまい嘘を吐くが、彼ら一流の条件は自分が嘘で他人を騙している、という自覚のない自己偽善者であることである。ヒトラーなどは一流の自己偽善者と映るかもしれぬが、断トツはマルクスである。彼の思想は、「肉体の無」を知る者からすれば、大いに臭いものである。

それにしても彼の思想は死んでも亡霊となって徘徊している点においても、一流の詐欺師だったと言えよう。しかし、今のところ彼以上の詐欺師は現れそうもなく、また現れまい。と言うのも目下、人類は核兵器、地球温暖化の脅威の状況下を生きているからである。つまり西洋人はその本質（歴史的古層）において、無自覚な詐欺に基づく破壊思想が好きなのである。

言葉は詐欺（嘘＝騙し）の芽である。なぜなら言葉とは、「色即是空」の「色」の世界を形成する「空」（嘘）なるものだからである。それにもともと色即是空は肉体の思想だから、そういうことが分かるには、肉体のない頭だけで考えても意味がない。虚構（嘘）＝詐欺の世界を生きるヒトが、詐欺だと思うのは損をしたと感じたときだけである。

言葉は本来、詐欺であり、それを用いて論理（利益）的に嘘によってヒトを納得させるのが詐欺であるとするなら、それを本物（得）らしく理論づけたのがマルクスである。しかも西洋人には論理の歯止めとなる肉体がない（空っぽ頭の日本人は問題外）。だから彼らは詐欺を正当なものとするため、分厚な論理的な書物を著す。そうでもしないと元々、「空」である世界を思想らしく見せられない。

西洋人は神人の頭だけで「考え」、しかもそれを戦争、略奪、破壊のためにしか使用せず、肉体を用いて「考える」（進化するとはそういうことである）ということをしなかったら、劣悪な思想（世界）を齎すことになったのである。つまり彼らの歴史的古層は、戦争、略奪、破壊のための進歩と欲望とに走るような思考法しかできぬのである。

当時、劣悪な資本主義社会を生きていたヨーロッパの労働者には、共産主義が理想の国家に繋がるものと思えても不思議はない。しかし色即是空という肉体の思想がまったくない彼らには、その思想が砂上の楼閣であることに、まったく気づかなかった。

しかしそれでもロシア革命を経て、一時、ソ連が理想の社会を実現するかのように、「鉄のカーテン」越しに多くの人々は思った。

しかしやがてソ連の国民は、肉体を持たぬ孤独の下にあったから、当然のように労働を嫌いしかも人々の交流のない、ただ独裁者の恐怖政治下に働かされている奴隷に過ぎぬことを、悟るに至った。

つまり西洋文明とは劣悪な思想の上に、より理想と見せかけた劣悪な思想を重ねてゆく詐欺文明だ、ということである。それは彼らが肉体のない、頭だけで「考える」からであり、核兵器などはその象徴であるとも言えよう。

西洋人は神の下にあって、その意識で世界を見、その言葉によって世界を支配しようとする思考しかできない（日本人の意識とは別である）。つまり神人である彼らは、ヒトという生命体を、「肉体のなかに住む『本来のおのれ』」「肉体の無」として見ることができぬのである。

それはランボーが「『私』は一個の他者であります」と言った意味が、彼らには分からない。彼の言った意味は、「私」＝神性を伴わぬ意識であり、「他者」＝肉体だということであり、誤解を恐れずに言えば、彼には色即是空観があった、ということである。それは彼の「イリュミナシオン」というつまらぬ（二十一代集のように）詩を生み出した訳（わけ）が、「色」（有る）の世界を「空」（無）から見ているからである。つまり彼の詩語は空っぽ（あるいは何でもよかった。たとえば『母音』の「A（アー）は黒……」）だったから、最初ヨーロッパ人には理解できなかったが、その内（当然、今も分からず）、斬新に見えだし、一大ブームを巻き起こし、多くの模倣者を生み出した。しかし彼がどうしてそのような詩を書くに至ったかは、肉体のない彼らにはいまだに分からない。

それと同じようなことは、マルセル・デュシャンが既製品の男子用便器に『泉』と名づけ出品し、それは今も芸術作品であり続けている。つまり男子用便器を「色」（言葉）によって『泉』と名づけても、「空」の目線で見れば便器に過ぎぬ詐欺なのだが、西洋人にとっては芸術作品になるのである。言い換えれば、それは単にこれまでの詐欺観で世界を見ることを止めた、私に言わせれば、それは新たな完全な詐欺である。こんな物に大金を払って買っても詐欺だと思わなければ詐欺ではないが、それがある時、男子用便器に見えたら詐欺に引っ掛かったと思うだけである。これが西洋人の頭の悪さである。日本人はその上を行ってるだけである。

それは彼らが「思想は言葉である」ように「芸術も言葉」なのであって、彼らの文明は神の下、言葉に支配された詐欺の世界なのである。つまり西洋文明は、初めから砂漠の無から生み出された詐欺文明であるからして、自己偽善によって自ら進んで詐欺言語を創造し、また自ら進んでそれを財産にすることは、彼らにとっては進歩、欲望であって詐欺には当たらぬのである。

このような詐欺言語という表現になってしまったのは、外に適切な造語思想が見付からなかったからであるが、ただそれは自己偽善のカラクリと同じである。

西洋思想のすべて（民主主義、資本主義、共産主義等、また自由、平等、人権等）の成り立ちは、このような詐欺言語に基づくものである。つまり西洋思想など、すべて男子用便器に過ぎぬということである。

そんなことを考えていたら、またしても福沢の母親を思い出してしまった。彼女は、頭のおかしい臭くて汚い乞食女の虱を取ってやり、取らせてくれた褒美に飯まで食わせてやるという、馬鹿のように他人を幸福にしてやることに喜びを見出せる女性だった。彼女のなかにボランティア精神のようなそんなケチなものはない。好きでやっているのである。昔の日本にはそういう人間が沢山いた。それを思うと武士を失ったことが、どれほど痛手であったかが痛感される。それを思えば民主主義、資本主義など最低である。西洋文明が真面（まとも）ならこんなに質（たち）の悪い沢山の思想を生み出さなかっただろう。そしてそんな文明に熱中する日本人も、振り込め詐欺に引っ掛かる真面な人間ではない。

彼らは詐欺言語を創造し、それによって富（欲望）を築きたいと願う世界を生きているから、その弁別において法律が非常に煩瑣になる。それは江戸時代の日本と比べれば、どれほど質（たち）が悪いかも分かろう。

それは言語から成る共産主義が、肉体のない詐欺思想であるように、男子用便器も『泉』という言葉による詐欺芸術（思想）なのである。ただ彼らはそれを詐欺と呼ばぬだけの話なのである。

そうした事実が生じるのは、彼らが不思議に思えるほど――劣悪な社会であったからだが――自己偽善に嵌り込み、自らを騙せるのと同時に（当然、他人も騙す）、そうした目線でしか世界を見られぬ歴史的古層を生きているからである。

つまり彼らは言葉（特に欲望の数字）に支配され、そこに詐欺的構築物を創造し、それを財産としたがるのが日常だと思っているのである。しかもそれが資本主義の本質だ、という感覚を持っていない。だからその詐欺がバレルとサブプライム・ローン（リーマン・ショック）のような「大恐慌」が起こるのである。

彼らにとって、共産主義と『泉』との関係は、劣悪思想と使い物にならぬ便器とを同じ価値観で見、しかもそうしてしか生きられぬ人々だ、ということである。彼らには「色」が「空」だという思想がまったくないのである。すなわち西洋文明とは、詐欺（自己偽善を含む騙し）の文明だということである。つまりその思想とは巧妙に作られた詐欺言語に基づくものだ、ということである。

それに対し日本人は、その振り込め詐欺に引っ掛かって、猿マネ暗記ザルになるしか能のない人種なのである。

私には戦後日本とは、アメリカという巨大ヤクザに（精神までも）乗っ取られ、見かじめ料を払っている国としか思えない。そしてそれが日本「村」人の平和観である。

正真、私は自分が日本劣頭に住んでいることを痛感する。

あとがき

ここでは本書と同時期に出版した、全く縁もゆかりもない『かげろう源氏物語』との、歴史的古層においての関係について述べる。

意識をただ平(ひら)たいものだと考えるのが西洋人であり、それに疑念を抱いたのが、フロイトの無意識である。つまり意識とは湖のようなもので「深さ」を持つものだと。しかしその深さを意識から見、空想したところで得るものはない。

私はその湖を、噴泉湖のようなものと見做し、それを以て進化と進歩との違いを比喩的に述べれば、その湧き上がる噴泉の源が西洋文明の場合、砂漠の土地にあったため垂直に進化することができず、進歩(言語)思想下に置かれることになり、歴史的に湖は朝顔の花弁状に浮かび広がることになった。そしてその花弁の先端部分を、西洋思想で言うところの、自由、平等等、また民主主義、資本主義、共産主義等、さらに原子爆弾等の最悪なものを生み出したのだと考えた。なぜなら西洋思想は、その噴泉口周辺の環境（古代ヨーロッパ）が最悪なものだったが故に、彼らはそれを理由に詐欺（デカルトのインチキ哲学）によって「我」を作り出し、そこから自己偽善を通して様々な方向に詐欺思想――それらの多くは美しく着飾っている――を作り出したのである。しかも彼らはそれらを意識という上面からしか見ることができなかったから――ニヒリズムのような噴泉口を見れるような思想を持たなかったから――西洋思想は悪くなる一方であった。

他方、日本人は進化思想を生きていたから、花弁状に広がることはなかった。

私は（ニーチェも）それを進化の逆行によって――これは並大抵にできることではない――噴泉口まで下降し、その視点（サルないし原ヒト、あるいはニヒリズム）から噴泉湖の湖面までを歴史的に見上げたとき、西洋キリスト教文明は最悪なものと映ったのである。であれば、生命進化の道を外れてしまった西洋文明は、それ故にいずれ滅びるだろう。

と同時に、私が噴泉口にまで下降した事実は、その比喩を解けば、噴泉を湧き出している大地が肉体であり、そこから噴き出している噴泉水が意識だ、ということになる。この関係状態をニーチェは「力への意志」と言い、私は「生の上昇」と表現した。そしてこの関係は、肉体から意識が生まれたという、進化を明白なものにしている。しかも私の視点が噴泉口にあるということは、そこから西洋文明を見上げることができると同時に、その視点は、さらに進化を逆行させることで、その大地（肉体）のなかに入り得る、ということでもある。つまりそのことは、私の意識に縁もゆかりもない『かげろう源氏物語』を書かせたのは、私の肉体だということである。それはプルーストに『失われた時を求めて』を書かせた構図と同じである。つまり彼の無意識的記憶とは、歴史的古層のことである。

　ちなみに同じニヒリズムにありながら、ニーチェ、私がそれに苦悶し、プルーストにそれがなかったのは、前者は噴泉口で、肉体の無と意識との葛藤があったのに対し、後者プルーストは一挙に肉体のなかに入り、それが喋っただけだから無（な）かったのである。つまり『失われた時を求めて』は彼の意識が書いたわけではなく、肉体によるものだからからくり人形（『葉隠』）のように幾らでも書けたのである。私が『かげろう源氏物語』を書くについても同様に苦痛を感ぜず、肉体によるものだから、意識はそれを記憶していない。

著者プロフィール

堀江 秀治（ほりえ しゅうじ）

昭和21年生まれ。東京都出身、在住。
慶應義塾大学を卒業、その後家業を継ぐ。
特筆に値する著書なし。

西洋詐欺文明論 最後の日本人

2023年9月15日　初版第1刷発行

著　者　堀江 秀治
発行者　瓜谷 綱延
発行所　株式会社文芸社
〒160-0022 東京都新宿区新宿1－10－1
電話 03-5369-3060（代表）
03-5369-2299（販売）

印刷所　図書印刷株式会社

ISBN978-4-286-24459-4